Anne

roman rouge

Dominique et Compagnie

Sous la direction de
**Yvon Brochu**

# Hélène Vachon

# Le sixième
# arrêt

Illustrations

## Yayo

**Données de catalogage
avant publication (Canada)**

Vachon, Hélène, 1947-
Le sixième arrêt
(Roman rouge : 7)
Éd. originale : Saint-Lambert,
Québec : Éditions Héritage, 1995

Publ. à l'origine dans la coll. :
Carrousel. Mini-roman.

ISBN 2-89512-227-X

I. Yayo. II. Titre.

PS8593.A37S59 2001 jC843'.54 C2001-941140
PS9593.A37S59 2001
Pz23.V32Si 2001

Dépôts légaux: 3e trimestre 2001
Bibliothèque nationale du Québec
Bibliothèque nationale du Canada
Bibliothèque nationale de France

ISBN 2-89512-227-X
Imprimé au Canada

1 0 9 8 7 6 5 4 3 2

Direction de la collection :
Yvon Brochu, R-D création enr.
Éditrice : Dominique Payette
Direction artistique et
graphisme : Primeau & Barey
Révision-correction :
Marie-Thérèse Duval et
Martine Latulippe

**Dominique et compagnie**
300, rue Arran
Saint-Lambert (Québec) J4R 1K5
Téléphone : (514) 875-0327
Télécopieur : (450) 672-5448
Courriel :
info@editionsheritage.com

Nous remercions le Conseil des Arts du
Canada de l'aide accordée à notre programme de publication ainsi que la SODEC
et le ministère du Patrimoine canadien.

Gouvernement du Québec –
Programme de crédit d'impôt pour
l'édition de livres – SODEC

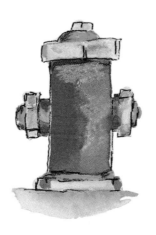

Mon père dit toujours que les choses sont simples. Il dit : « Les choses sont simples, Somerset. Ne les complique pas inutilement. »

•  •  •

Mais mon père exagère toujours.

Aujourd'hui, je prends l'autobus. Seul. Pour la première fois.

Mon père me dit :

—Prendre l'autobus est une chose simple, Somerset. Quand l'autobus arrive, tu montes. Tu glisses ton ticket dans la petite fente et tu vas t'asseoir. Au sixième arrêt, tu descends.

Je fais exactement comme il dit. Je me rends à l'arrêt d'autobus, mon ticket à la main, et j'attends. Cinq minutes. Dix minutes. Quinze minutes. Je commence à m'inquiéter. À la fin, je n'y tiens plus.

Je regarde autour de moi et j'aperçois, assis sur un banc plus loin, un monsieur qui lit son journal. Je m'approche.

– Pardon, monsieur, pourriez-vous me dire l'heure ?

Le monsieur lève la tête et fait « Oh ! » Il plie son journal, se lève et se met à courir comme un fou dans la direction d'où je viens. Il monte dans l'autobus qui repart sans moi.

Je me dis : **« C'EST TROP FORT ! »**
L'autobus est arrivé en TRAÎTRE. Il est passé en douce pendant que j'avais le dos tourné. Et il s'est enfui avec son complice, le monsieur au journal.

Et mon père qui dit que les choses sont simples !

Dans les livres que je lis, les adversaires ne fuient pas. Ils s'affrontent face à face. Et les complices ne font jamais semblant de lire le journal.

Je me dis : « Courage, Somerset. Tout n'est pas perdu. Si l'autobus veut jouer

au plus fin, jouons au plus fin.
D'ailleurs, si je suis trop visible, il
ne viendra jamais. »

Je me cache derrière la haie qui
borde le trottoir. Et j'attends. Cinq
minutes. Dix minutes. Aucun adversaire en vue.

Soudain : Vrooommmm !

Je le vois qui arrive. Il est énorme.
Il débouche du coin de la rue dans

un vrombissement à faire trembler la terre. Je garde mon sang-froid. Je décide de rester caché derrière la haie jusqu'à ce qu'il soit tout près. J'attends. Il approche. Je ne bouge pas. Il approche, il approche encore… Tout à coup, hop ! Je bondis… Trop tard ! L'autobus est passé. Il n'a même pas ralenti.

Je me dis : « Mauvaise tactique,
Somerset. Le plan n'était pas bon.
Si l'autobus ne t'a pas affronté,
c'est qu'il ne t'a pas vu. » Je me
replace devant l'arrêt, bien en
vue, et j'attends.

Dix minutes plus tard, un nouvel adversaire surgit dans un nuage de fumée.

– Inutile de te cacher, cette fois je ne te raterai pas !

Je me précipite dans la rue et je me jette devant lui. L'autobus freine brusquement. Les portes s'ouvrent. Je monte lentement, les yeux fixés sur le chauffeur. Je glisse mon ticket dans la fente et je prends le premier siège à l'avant.

Il se produit alors une chose extraordinaire. Au lieu de repartir, le chauffeur se lève, sort de l'autobus et referme la portière derrière lui.

Je suis EMPRISONNÉ !

Comment ai-je pu me faire prendre aussi facilement ?

Je fonce vers la portière et j'essaie de l'ouvrir. Impossible ! Je regarde au fond de l'autobus. Il y a seulement deux autres prisonniers. Ils me regardent d'un air étonné. Ils n'ont vraiment pas l'air de se rendre compte du danger ! Soudain, à travers la vitre, j'aperçois le chauffeur qui revient, un verre fumant à la main.

Je me jette par terre, juste à côté de la première banquette. Je retiens mon souffle, immobile. Quelques secondes plus tard, j'entends la portière qui s'ouvre

et le pas lourd du chauffeur qui monte dans l'autobus. N'écoutant que mon courage, je prends mon élan. Je bouscule le chauffeur au passage et je me précipite dehors.

Je cours de toutes mes forces, dans plusieurs directions, pour bien brouiller les pistes. À bout de souffle, je m'arrête. Je reviens sur mes pas et je me retrouve devant

l'arrêt. Je suis sain et sauf, mais inondé de café. Le chauffeur, lui, doit être mort de soif. « Tant mieux, je me dis. Sans ravitaillement, il ne pourra pas aller bien loin. »

• • •

Soudain, une pensée triste m'envahit. Je me dis : « Somerset, tu t'es sauvé, c'est bien ! Mais tu n'as pas sauvé les deux prisonniers. Ils sont toujours dans l'autobus. »

Je décide alors de redoubler d'ardeur. Les deux premiers essais n'ont rien donné. Le premier a raté

parce que je n'étais pas assez visible, le second, parce que je n'étais pas assez méfiant. Il reste une troisième solution : ÊTRE VISIBLE ET MÉFIANT. Dans les livres que je lis, on appelle ça « négocier ».

Ça veut dire que les adversaires parlent ensemble, face à face. D'abord, chacun refuse ce que l'autre demande. Après, ils acceptent. Des fois, ça marche.

Tiens, j'entends un bruit de moteur. Un nouvel adversaire approche. Je me place tout au

bord du trottoir. Il s'arrête. Les portes s'ouvrent.

Je ne bouge pas d'un poil.

– Alors ? demande le chauffeur. Tu montes ?

– Non, je réponds, sur un ton très ferme.

– Comment ça ?

– À une condition seulement.

Le chauffeur a l'air surpris.

– Quelle condition ?

– On fait un échange.

– Un échange ?

– Vous laissez descendre les

prisonniers et moi, je monte.
D'accord ?

Je pense : « Avec un peu de
chance, il me laissera descendre
au sixième arrêt. »

– Pourquoi veux-tu faire descendre mes passagers ? demande le
chauffeur.

– Pour leur rendre la liberté,
voyons !

– La liberté ?

Le chauffeur fait semblant de ne
pas comprendre. Alors, je joue le
tout pour le tout ! Je monte dans
l'autobus sans m'occuper de la
portière qui pourrait en profiter
pour se refermer derrière moi.
Cette fois, il y a cinq prisonniers à
libérer : un gros homme, une vieille
dame, une religieuse et deux

enfants. Ils me regardent tous d'un air étonné, comme s'ils n'en croyaient pas leurs yeux. Mais ils sont sains et saufs. Ouf ! je suis arrivé à temps !

Je dis, assez fort :

– Sortez tous maintenant, vous êtes LIBRES !

Personne ne bouge.

Je répète plus fort :

– SORTEZ MAINTENANT, VOUS ÊTES LIBRES !

– **TERMINUS,** crie le chauffeur encore plus fort.

Ah ! je comprends : TERMINUS, c'est le mot de passe.

Tout le monde se lève.

« Bravo ! je me dis. Le chauffeur collabore. Il n'est peut-être pas aussi méchant qu'il en a l'air. Ce n'est pas le chauffeur de l'autobus kidnappeur qui aurait donné son mot de passe aussi vite. »

Les prisonniers défilent devant moi. Ils me font un petit signe de

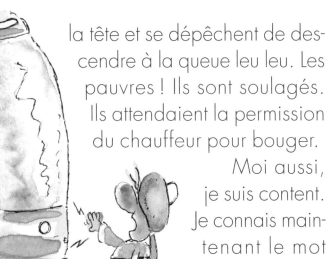

la tête et se dépêchent de descendre à la queue leu leu. Les pauvres ! Ils sont soulagés. Ils attendaient la permission du chauffeur pour bouger.

Moi aussi, je suis content. Je connais maintenant le mot de passe. TERMINUS, c'est sûrement comme le SÉSAME, OUVRE-TOI de la caverne d'Ali Baba.

Quand tout le monde est sorti, je tends la main au chauffeur.

– Je vous remercie d'avoir colla-

boré. Sans vous, ils ne seraient peut-être pas descendus aussi vite.

– Y a pas de quoi, dit le chauffeur. Mais, dis-moi, comment t'appelles-tu ?

– Somerset.

– Alors, dis-moi, Somerset, JUSQU'OÙ VAS-TU ?

– Jusqu'au sixième arrêt.

Le chauffeur pousse un profond soupir. On voit qu'il est fatigué.

– Bon, alors glisse ton ticket dans la fente, va t'asseoir et NE BOUGE PLUS, d'accord ?

On croirait entendre mon père. Tout a l'air simple pour lui aussi. Je fouille dans mes poches. Rien. JE N'AI PLUS DE TICKET. Le seul que j'avais est resté dans l'autobus

kidnappeur. Je dis au chauffeur :

– Je n'ai pas besoin de ticket puisque je suis votre otage.

– Mon otage ?

– Ben oui, voyons ! Vous m'avez échangé contre les prisonniers.

Le chauffeur lève les yeux au ciel et réfléchit quelques instants.

– Que dirais-tu de t'évader ? demande-t-il.

– Encore ? Je l'ai déjà fait une fois.

– On pourrait le refaire, si tu veux.

Je réfléchis.

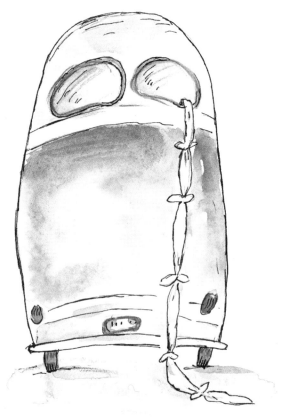

– Et la rançon ?

– Quelle rançon ?

– À l'heure qu'il est, ma tante Alpha doit être dans tous ses états.

– Ta tante Alpha ?

– Celle qui habite au sixième arrêt.

– Ah oui !

– Elle a dû prévenir mon père. Et mon père a dû prévenir la police.

– C'est probable.

– Si vous voulez une rançon, c'est le moment.

– Sûrement, oui.

Le chauffeur réfléchit encore. Moi aussi. Je commence à être fatigué et j'ai faim. Toutes ces émotions m'ont creusé l'appétit. Je dis au chauffeur :

– J'ai une idée…

– Oui ?

Le chauffeur ouvre grands les yeux.

– Vous pourriez me laisser rentrer chez moi…

Son regard s'illumine. On dirait que l'idée lui plaît.

– J'irais demander la rançon à mon père, et je viendrais vous la porter… mettons, demain.

– Rien ne presse, tu sais.

– C'est important, voyons !

– Alors d'accord. Maintenant, SAUVE-TOI !

– Comme ça ?

– Pourquoi pas ?

Je n'en crois pas mes oreilles.

– Ben… Il faudrait un obstacle… Ou un empêchement… Au moins un tout petit empêchement… Quelque chose qui…

– D'accord, d'accord ! dit le chauffeur.

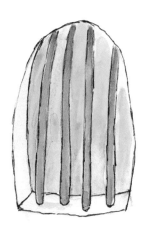

Il soupire encore.

– Alors supposons que j'aie un tout petit moment de distraction. Je regarde dehors, parce que la journée est belle, le soleil chaud, et parce que j'aimerais être dehors, moi aussi, avec les piétons. Est-ce que ça te suffirait ?

Dans les livres que je lis, je n'ai jamais vu de prisonniers se sauver parce que leur gardien trouve la journée belle ou le soleil chaud.

Enfin...

   – D'accord, je dis, un peu à con-
trecœur.

   Le chauffeur se tourne alors vers
la fenêtre et commence à être
distrait.

   Moi, je me tourne vers la portière.

   – TERMINUS ! je dis d'une voix
forte.

   Rien ne se passe.

   Tout à coup, j'entends derrière

moi un petit déclic et la portière s'ouvre toute grande devant moi.

Le soleil inonde la rue. Les piétons se promènent. C'est vrai qu'ils ont l'air heureux. Je cours sans me retourner et je rentre chez moi, LIBRE.

Dire que tout ça s'est passé au premier arrêt. Imaginez ce que ça aurait été si je m'étais rendu jusqu'au sixième !

Demain, je m'attaque au deuxième arrêt. Je ne l'ai pas dit au chauffeur, je vais lui faire la surprise. Il y a sûrement plein de gens à secourir par là aussi. Et peut-être que je vais retrouver les deux

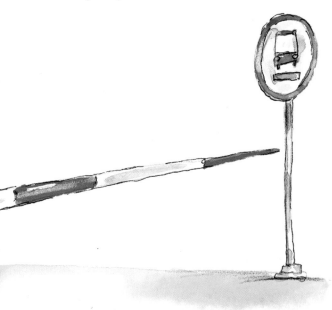

prisonniers de l'autobus kidnappeur. Je sais qu'un jour je me
rendrai jusqu'au sixième arrêt.

Ce soir, je vais me coucher tôt. Je
veux être en forme demain. Dans
mon sac à dos, je vais mettre ma
gourde remplie d'eau, mon petit
canif, une corde, ma boussole,
ma lampe de poche et une carte

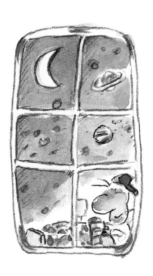

du monde. On ne sait jamais. S'il y a une chose que je déteste, c'est d'être pris au dépourvu !

Et mon père qui prétend que les choses sont simples. Il doit exagérer, c'est sûr, ou vivre sur une autre planète.

# Dans la même collection